Fleur heeft een dikke papa

Hans Kuyper
Fleur heeft een dikke papa

met illustraties van Annet Schaap

LEOPOLD / AMSTERDAM

NEDERLANDSE
KINDERJURY
2005

Inhoud

Wereld

'Hoe ver is het?' vraagt Fleur. Ze staat op een stoel voor het grote raam in de woonkamer. Met haar neus tegen het glas kijkt ze naar buiten, naar de kleine autootjes op de snelweg beneden en naar de groene weilanden daarachter. Ze kan zelfs de kerk van het dorp verderop zien, een wazig grijs torentje tegen de wolken.

'Hoe ver is wat?' vraagt papa van achter zijn krant.

'Hoe ver is het naar de hele wijde wereld?'

'Je staat erop,' zegt papa.

Fleur kijkt verbaasd naar beneden. 'Ik sta op de stoel,' zegt ze.

'Maar de stoel hoort toch ook bij de hele wijde wereld?' zegt papa.

Daar denkt Fleur even over na. Het is waar. Want in de kerk ver weg staan ook stoelen. Die horen bij de wijde wereld. En dan zou het oneerlijk zijn als Fleurs eigen stoel er niet bij zou mogen. Want alle stoelen zijn stoelen.

'De wereld is juist zo wijd omdat alles erbij hoort,' zegt papa.

'En als de wereld minder wijd was,' zegt Fleur, 'wat moest er dan weg?'

Papa laat zijn krant zakken en trekt een rimpelhoofd.

'Dat weet ik niet,' zegt hij ten slotte. 'Ik ken de wereld alleen maar zoals hij is. Ik kan er niks af denken.'

'Ook niet als je het probeert?' vraagt Fleur.

'De muggen!' roept papa. 'De muggen en de wespen en de bijen en de spinnen, die mogen het eerst weg.'

'De bijen niet,' zegt Fleur. 'Want die maken honing en ik hou van honing.'

'Goed, de bijen niet,' zegt papa.

'Ik weet ook wel iets,' zegt Fleur. 'De olifanten.'

'Maar die zijn juist zo mooi!' roept papa.

'Ja,' zegt Fleur, 'maar ze zijn ook heel groot. Als de olifanten weg zijn, is er zoveel plaats vrij dat al het andere kan blijven.'

Papa lacht en staat op. Hij komt naast Fleur bij het raam staan. Maar hij kan niet met zijn neus tegen het glas, daar is zijn buik te dik voor.

'Weet je wat ook wel weg mag?' zegt hij. 'De auto's. Al die domme auto's die toch alleen maar stilstaan in de file.'

'Maar oma's auto niet,' zegt Fleur. 'Anders komt ze nooit meer bij ons.'

'En dan doen we ook alle wegen weg,' zegt papa.

'Alleen niet de weg van oma naar ons.'

'En alle tunnels en tankstations,' roept papa. 'En vooral die zeurmuziek van de tankstations. En alle radio's en televisies, en de motorfietsen en knetterbrommers en alle andere herriedingen. Dat mag allemaal weg.'

'Maar niet de cd van Dikkertje Dap,' zegt Fleur.

'Nee, die niet natuurlijk,' zegt papa. 'En mijn cd's van The Kinks ook niet. Maar de rest mag weg.'

Fleur knikt. Het is een goed plan.

'Dan is de wereld niet meer zo wijd,' zegt ze.

'Misschien wordt hij dan nog wel veel wijder,' zegt papa. 'Je moet dan weer overal naartoe lopen. Van hier naar die kerk is maar tien minuten met de auto. Maar het is wel twee uur lopen, denk ik. In de stilte, met alleen de wind en de vogels en je eigen voetstappen. Heerlijk.'

'Dus het is twee uur lopen naar de wijde wereld,' zegt Fleur tevreden. 'Is dat ver?'

'Ver genoeg,' zegt papa. 'Kom, we gaan thee zetten.'

Een belangrijke brief

Het is druk op het grote plein bij de brug. Er staan al heel veel kinderen en grote mensen achter de hekken, en ook langs de rivier is het vol.

'En ik dacht nog wel dat we zo mooi vroeg waren,' zegt papa. 'Het lijkt elk jaar wel drukker te worden.'

'Daar is een plaatsje vrij,' zegt mama. Ze wijst naar het hoekje bij de bakker. Daar is een leeg stuk hek. Het is wel ver van het water, maar lekker dicht bij de trappen van het stadhuis. En dat is de belangrijkste plek, want daar gaat Sinterklaas straks praten. In een microfoon.

Nu staat er nog een muziekgroep op de trappen, mannen en vrouwen in blauwe jasjes. Ze hebben trommels voor hun buik of trompetten aan hun mond. Eentje heeft een soort vlag van ijzeren staafjes voor zich. Hij slaat erop met een dun stokje. Het is een raar soort instrument, waar je gelukkig bijna niets van kunt horen.

Er loopt ook een mevrouw rond. Ze draagt een warme jas en een grote hoed en ze praat dwars door de muziek heen. Haar stem schalt uit de luidsprekers.

'Zien jullie al wat, kinderen? Spannend hè! Wat is dat voor een grote rookpluim in de verte? Wat voor een boot komt daar aan? We kunnen het nog niet goed zien. Zullen we maar weer wat zingen? Meneer van de muziek, heeft u nog een leuk liedje?'

De muziekgroep was net begonnen aan 'O, kom er eens kijken' maar de mevrouw begint heel hard en vals 'Zie ginds komt de stoomboot' te zingen. De hele muziekgroep raakt in de war.

'Nou nou,' zegt de mevrouw lachend, 'zo'n moeilijk liedje is dat toch niet!'

Papa tilt Fleur met haar billen op het hek en gaat achter haar staan met zijn armen om haar middel. Mama kijkt nog even of Fleur er goed uitziet. Ze zet de mijter wat steviger en hangt de baard recht.

Want Fleur is niet Fleur, vanmiddag. Fleur is Sinterklaas. Ze heeft een kartonnen mijter en een baard van papier. Ze draagt een lang wit hemd van papa en mama's mooie rode jasje. De staf in haar linkerhand is van de stofzuigerstang gemaakt en onder de andere arm draagt ze een rood geschilderd telefoonboek. Haar handen steken in de prachtige witte handschoentjes die bij mama's trouwjurk hoorden. Aan die handschoentjes kun je zien dat het telefoonboek een beetje afgeeft.

Fleur ziet er schitterend uit. Veel mensen achter de hekken kijken naar haar en lachen. Sommigen steken zelfs hun duim op. En ook de mevrouw met de grote hoed heeft haar gezien.

'O, kijk nou eens!' roept ze in haar microfoon. 'Sinterklaas is er allang! Dag lieve Sinterklaas, bent u stiekem over land gekomen?'

Fleur kijkt naar de microfoon die onder haar neus geduwd wordt. Ze weet niet wat ze moet zeggen.

'Bent u niet met de boot, Sinterklaas?' vraagt de mevrouw weer.

Fleur schudt haar hoofd.

'Hoe bent u dan gekomen?'

'Bij papa achterop,' fluistert Fleur.

Haar stem knalt over het plein. Ze schrikt er zelf van. Alle mensen beginnen te lachen. Fleur voelt de tranen achter haar ogen. Voor ze het weet, huilt ze al.

Papa pakt de microfoon vast. 'Kijk eens op de rivier,' zegt hij. 'Ik zie heel veel zwarte rook!'

De mevrouw geeft Fleur een aai over haar bol zodat haar mijter bijna valt. Dan draait ze zich om en loopt weg.

'Raar mens,' moppert papa.

'Ze doet het toch best leuk,' zegt mama terwijl ze de mijter recht zet.

Fleur veegt haar wangen droog. Ze kan de rook ook zien, hij is al heel dichtbij. De muziekgroep speelt 'Sinterklaasje kom maar binnen met je knecht' en overal worden kinderen op schouders gehesen.

Plotseling rennen er allemaal Pieten over het plein. Waar komen die nou zo opeens vandaan? Van de boot natuurlijk! De boot is aangekomen! Dan kan Sinterklaas ook niet meer ver weg zijn.

Fleur gaat op het hek staan. Papa kan haar bijna niet meer vasthouden, zo hoog is ze. Maar er is nog niets te zien. De muziekgroep toetert en trommelt maar door, de Pieten dansen over het plein en gooien met plastic zakjes snoep, en de mevrouw met de microfoon tettert overal dwars doorheen.

Maar nu klinkt er ook een andere stem uit de luidsprekers.

'Dag mevrouw Marjan,' zegt de stem. 'Wat fijn om van die boot af te zijn. En wat ben ik blij dat ik alle kinderen weer zie.'

Dat is de stem van Sinterklaas! Maar waar is hij toch...? Fleur rekt zich uit. Er zijn zoveel mensen! Ze weet niet goed waar ze kijken moet.

Dan ziet ze het puntje van een rode mijter boven de hoofden uitsteken. En daarnaast de prachtige gouden krul van de staf. Daar is hij! Hij komt de hoek om, het plein op.

Fleur kent Sinterklaas al haar hele leven. En toch ziet hij er weer mooier uit. Veel mooier dan de burgemeester, die met zijn gouden ketting om meeloopt. En veel mooier dan de Hoofdpiet in zijn kleurige pak. En helemaal mooier dan die schreeuwlelijk van een Marjan met haar rare hoed.

Langzaam loopt Sinterklaas langs de kinderen. Hij schudt bijna alle handen en de Pieten delen snoep uit. Het groepje komt steeds dichterbij. Nog vier stappen, nog drie, nog twee...

Fleur merkt niet eens dat papa haar van het hek tilt. Ze hoort dat hij iets zegt, maar ze luistert niet. Ze kijkt. Wat heeft Sinterklaas toch een lieve ogen onder die dikke, witte wenkbrauwen. Wat lacht hij toch vriendelijk naar iedereen. En wat schudt hij toch veel handen...

En dan is het groepje voorbij. Zomaar opeens. Fleur ziet alleen nog het grote gouden kruis op de rode mantel en de grijsgestreepte rug van de burgemeester. Sinterklaas is voorbij – en ze heeft geen hand gekregen!

Fleur staat doodstil, haar handen strak langs haar lijf. Ze kan niet praten van schrik. Ze kan niet eens huilen.

Mama merkt het meteen. 'Wat is er, lieverd?'

Maar Fleur kan niets zeggen. Ze kan alleen maar staren naar de rug van Sinterklaas. Ze merkt zelfs niet dat een klein Pietje haar wat snoep aanbiedt.

'Ze heeft geen hand gekregen,' zegt papa. 'Ik zei het nog, Fleur: "Steek je hand uit." Maar jij bleef maar stokstijf staan. Sinterklaas heeft je gewoon niet gezien.'

Niet gezien? In haar prachtige pak met de staf en het boek? Met mama's witte handschoenen? Iederéén heeft haar gezien. Zelfs mevrouw Marjan, die nergens op let, heeft haar gezien. Hoe kan het dan dat Sinterklaas...?

Fleur begint te huilen. Ze trekt de baard stuk en gooit haar mijter op de grond.

'Nou nou nou,' zegt mama. Ze raapt de mijter op en veegt de modder eraf.

'Ik wil naar huis,' snikt Fleur.

'Maar Sinterklaas gaat nog praten,' zegt papa. 'En de burgemeester ook. Wil je dat niet horen?'

Fleur schudt van nee. Ze wil naar huis, nu meteen.

'Zo erg is het toch niet?' vraagt mama. 'Sinterklaas is nu in het land, je komt hem vast nog wel een keertje tegen. Dan kun je hem een hand geven. Het komt best goed.'

Maar Fleur gelooft er niets van. Ze is heel boos en verdrietig. Sinterklaas heeft haar altijd een hand gegeven, en nu niet. Sinterklaas is stom.

De hele weg naar huis is ze stil. In de lift is ze stil. Op de galerij komen ze de buurvrouw tegen.

'Hoe was het, Fleur?' vraagt ze. 'Heb je Sinterklaas gezien?'

Maar Fleur zegt niets. Ze gaat naar binnen, ploft op de bank en zet de televisie aan.

'Weet je, Fleur,' zegt papa. 'Misschien moeten we een brief schrijven aan Sinterklaas. Die doen we dan vanavond in je schoen. Dan kun je alles uitleggen.'

Dat wil Fleur ook niet, maar ze doen het toch. Papa schrijft een brief en Fleur zingt extra hard, die avond. Ze zetten de schoen onder het raampje bij het balkon. Zo kan Zwarte Piet er vannacht makkelijk bij.

De volgende ochtend is de brief weg. Er zit een pakje in Fleurs schoen en er liggen wat pepernoten bij. Op het pakje zit een papiertje geplakt, een papiertje uit Fleurs eigen tekenblok met de gekleurde velletjes. Er is iets op geschreven. Met Fleurs eigen viltstiften.

Ze brengt het pakje naar papa. Hij haalt voorzichtig het briefje eraf. Nu kan Fleur het cadeautje uitpakken. Er zit een prachtig nieuw poppetje in voor bij haar piratenschip.

Papa leest het briefje. 'Niet te geloven,' roept hij. 'Moet je horen wat hier staat!' Hij zet zijn deftige stem op en begint te lezen:

'Lieve Fleur, ik heb je brief gevonden. Wat een naar verhaal was dat! Ik heb er lang over nagedacht en nu weet ik wat er gebeurd is. Gistermiddag, op het plein, heb ik jou niet gezien. Ik zei nog tegen de Hoofdpiet: "Wat raar dat Fleur er niet is, die is er toch altijd!"

De Hoofdpiet vond het ook vreemd. "Haar papa en mama waren er wel," zei hij.

"Ja," zei ik. "Ze hadden een grote spiegel bij zich. Heel merkwaardig."

De Hoofdpiet keek verbaasd. "Een spiegel?" vroeg hij.

"Ja," zei ik weer. "Een grote spiegel. Ik kon mezelf er helemaal in zien."

Toen begon de Hoofdpiet te lachen, en na een tijdje begreep ik het ook. Weet je wat er gebeurd is, Fleur? Jij had jezelf zo mooi verkleed, dat ik niet zag dat jij het was. Ik dacht dat ik het zelf was! Ik dacht dat ik in de spiegel keek! En je eigen spiegelbeeld ga je toch geen hand geven? Maar ik zal het goedmaken. Als ik over een paar weken bij jou op het schooltje kom, krijg je twee handen van me. Twee handen tegelijk. Dat beloof ik. En veel plezier met je cadeautje!

Sinterklaas.'

Papa legt de brief weg. 'Dat is me ook wat,' zegt hij.

Fleur wordt helemaal blij vanbinnen. Nu begrijpt ze wat er is gebeurd. En ze weet ook precies wat ze moet doen.

'Dan moet ik op het schooltje ook als Sinterklaas verkleed gaan!' roept ze. 'Anders herkent hij me weer niet!'

Mama lacht en gaat meteen een nieuwe baard knippen.

En reken maar dat Fleur twee handen tegelijk krijgt, over een paar weken. Want Sinterklaas doet altijd alles wat hij belooft. Daarom is hij ook Sinterklaas.

Narigheid

'Soms, als ik ga slapen...' zegt Fleur. Ze trekt Eekhoorn Pluim dicht tegen zich aan en draait met haar hoofd om een kuiltje in het kussen te maken. Daarna steekt ze haar duim in haar mond.

'Ik wacht,' zegt mama.

'Waarop?' vraagt Fleur.

'Op jou natuurlijk,' zegt mama. 'Je ging iets vertellen, geloof ik.'

'O ja,' zegt Fleur. 'Wat ook alweer?'

'Als je het zelf niet meer weet, was het vast niet belangrijk,' zegt mama. 'Welterusten lieverd.'

Mama legt het voorleesboek op de plank boven het bed en geeft Fleur een kus. Bij de deur draait ze zich nog één keer om. 'Mooie dromen,' zegt ze.

'Dat was het!' roept Fleur. 'Nou weet ik weer wat ik wilde zeggen.'

Mama zucht. Ze loopt terug naar het bed en gaat weer op de rand zitten.

'Soms, als ik ga slapen,' zegt Fleur, 'dan komen er honden. Grote honden die mij willen pakken. Er is ook politie bij.'

'Dan hoef je niet bang te zijn,' zegt mama.

'Jawel,' zegt Fleur, 'want de politie wil mij ook pakken. Ze willen me opsluiten in een hok. Net als een boef!'

'Wat een onzin,' zegt mama. 'Jij bent helemaal geen boef! Waarom zou de politie jou nou willen pakken, je hebt toch niets gedaan?'

'Ik heb heel veel gedaan,' zegt Fleur. 'Ik heb gespeeld en getekend en televisie gekeken. En ik heb jou geholpen met stofzuigen, en ik heb met oma gebeld.'

'Denk daar maar aan,' zegt mama. 'Als je daaraan denkt vóór

het slapengaan, komen er helemaal geen honden.'

Ze geeft Fleur weer een kus en staat op.

'Was het belangrijk?' vraagt Fleur.

'Wat, lieverd?'

'Het verhaal dat ik vertelde,' zegt Fleur.

'Heel belangrijk,' zegt mama. 'Maar nu moet je echt gaan slapen.'

'Anders komt de politie,' zegt Fleur.

'Nee,' zegt mama, 'anders kom je morgen je bed niet uit. En dat is veel en veel erger.'

Mama knipt het licht uit en loopt de gang op. Ze laat de deur op een kiertje. Fleur hoort hoe ze naar de keuken gaat. Daarna wordt het stil in huis.

Fleur wacht, maar er komt niets. Geen slaap, geen politiemannen en ook geen honden. Er loopt alleen water door de buizen in de muur: klokklokklok, tiktiktik... Mama gaat zeker afwassen.

Maar wat is dat? Er klinkt gesnuffel in de kamer. En Fleur ruikt ook iets... Nat haar, een beetje vies...

Het is een hond! Een grote politiehond! Fleur heeft haar ogen stijf dicht, maar ze weet dat de hond er is. Ze kan het voelen in haar hele lijf.

Wat moet ze doen? Ze kan niet uit bed stappen, want dan bijt de hond in haar been. En heel hard roepen is ook dom: dan weet de hond meteen waar ze ligt.

Misschien kan ze heel záchtjes roepen?

Fleur trekt het dekbed over haar hoofd en haalt diep adem.

'Mááám... Mamááá...'

Het is zo zacht dat Fleur het zelf bijna niet hoort. Maar mama let altijd zo goed op! Die begrijpt heus wel dat ze meteen moet komen. Voor de zekerheid roept Fleur nog maar een keertje.

'Mamááá...'

De hond snuffelt door de kamer. Hij komt steeds dichterbij. Fleur voelt dat hij al bijna naast haar bed is. En nog altijd stroomt het water door de buizen. Er klinken geen voetstappen in de gang.

Hou toch op met die stomme afwas, denkt Fleur. Je moet hierheen komen. Nu direct! Straks komen de agenten en die nemen me mee. Dan moet ik mijn hele leven in een hok zitten. Alleen maar omdat jij de afwas ging doen!

Fleur wordt kwaad. Ze vergeet helemaal dat ze bang is. Met een grote zwaai gooit ze het dekbed op de vloer en gaat rechtop in bed zitten.

'Mááám!' gilt ze zo hard als ze kan.

Dat helpt. Het tikken en klokken van het water stopt. De keukendeur slaat dicht en er klinken snelle voetstappen. Mama holt naar binnen en knipt meteen het licht aan.

Er is geen hond in de kamer. Fleur hoort geen gesnuffel meer en ze ruikt ook niets. Het is gewoon haar kamer, met het voorleesboek op de plank en Eekhoorn Pluim op de vloer, boven op het dekbed.

'Wat is er allemaal aan de hand?' vraagt mama. Ze heeft nog natte handen. Zie je wel, mama kan heel snel zijn. Als ze maar wil.

'De hond was er,' zegt Fleur. 'En ik riep je, maar je kwam niet. Toen werd ik bang.'

'Ach lieverd,' zegt mama. 'Dat zit allemaal in je koppie. Je verzint het allemaal. Hoe kan hier nou een hond zijn? Dan had ik die toch binnen moeten zien komen?'

Dat is waar, denkt Fleur. Ze begrijpt ook niet hoe het kan, maar toch gebeurt het. Dat komt door het donker van de nacht.

'Ga nou maar weer lekker liggen,' zegt mama. 'Er zijn geen

honden in je kamer. Ik zie alleen Eekhoorn Pluim. En die zal je beschermen. Maar dan moet je hem niet uit bed gooien.'

Mama pakt het dekbed van de vloer en legt het terug. Het voelt lekker koel en zacht. Eekhoorn Pluim komt gezellig in Fleurs armen liggen.

'Jij moet bij me blijven, mama,' zegt Fleur.

'Maar ik ben toch bij je,' zegt mama. 'Ik ben vlakbij, in de keuken. En straks komt papa ook weer thuis, dan zijn we er allemaal. Niemand kan jou kwaad doen.'

Fleur denkt na.

'Als ik nog een keer hard roep,' vraagt ze, 'kom je dan weer meteen?'

'Dat beloof ik,' zegt mama. 'Maar dan moet jij beloven dat je aan leuke dingen gaat denken. Niet aan honden en politiemannen of andere narigheid.'

Narigheid, dat is een goed woord, denkt Fleur. Het is allemaal narigheid. Grote narigheid.

Mama staat op en geeft Fleur een kus.

'Zal ik het licht aanlaten?' vraagt ze.

Fleur schudt haar hoofd. Ze gaat straks toch weer met haar

hoofd onder het dekbed liggen, dus dan kan ze het licht niet zien.

'Als je maar komt als ik roep,' zegt ze.

Mama knikt.

'Droom maar niet,' zegt ze.

En dat doet Fleur ook niet. Roepen doet ze ook niet meer.

Fleur valt direct in slaap.

Kerstmis

Het is koud, maar het regent niet. Mama vindt het goed weer om te gaan fietsen.

'Zullen we naar tante Jeanette gaan?' vraagt ze. 'Daar zijn we al heel lang niet meer geweest. En dan halen we op de terugweg een kerstboom.'

Papa krabt wat aan zijn dikke buik en moppert: 'Een kerstboom op de fiets, dat gaat helemaal niet.'

'Nee,' zegt Fleur, 'dan waaien de ballen en de slingers eraf.'

'En de piek,' zegt papa. 'Vergeet de piek niet.'

'Het kan best,' zegt mama beslist. 'Er is een kerstbomenkoopman in het winkelcentrum. Daarvandaan kan je naar huis lopen.'

Het is duidelijk. Mama wil fietsen en een kerstboom. En Fleur en papa moeten mee, of ze nou zin hebben of niet.

Gelukkig heeft Fleur wel zin. In de tuin van tante Jeanette woont Goof, het grote konijn. Vroeger was Goof het vriendje van de kinderen van tante Jeanette. Maar die zijn het huis al uit. Nu is Goof het vriendje van Fleur, als ze daar komt.

Mama trekt haar jas aan en zet een muts op. Fleur krijgt ook heel veel kleren om haar lijf. Papa pakt zijn witte ski-jack en trekt zijn oorwarmers over zijn hoofd. Hij ziet eruit als een zielige sneeuwpop. Als Fleur erom lacht, wordt papa boos. Niet echt boos; leuk boos.

Samen gaan ze in de lift naar beneden en halen de fietsen uit de box. Dan tilt mama Fleur achterop en daar gaan ze, langs de hoge flats naar het park en nog veel verder, tot aan de tuin van Goof.

'Wat een koude neuzen!' roept tante Jeanette als ze uitgezoend zijn. 'Wat dapper om te gaan fietsen! Willen jullie warme chocolademelk?'

'Is Goof in de tuin?' vraagt Fleur.

'Ja, hij zit in zijn hok. Met lekker veel stro tegen de kou. Ga maar kijken, dan maak ik wat te drinken.'

Fleur rent de tuin in. Daar is het grote hok met het gaas ervoor. Goof heeft zich verstopt in het nachthokje.

Voorzichtig maakt Fleur het deurtje open. Ze ziet een hele berg stro. Waar is Goof? Ze steekt een hand in het hok en voelt. Daar is iets zachts. Een staartje. Fleur pakt het even vast…

Goof is wel oud, maar nog echt een konijn. Hij roffelt met zijn achterpootjes op de vloer van het hok. En meteen draait hij zich om en bijt. In de vinger van Fleur. Heel hard.

Fleur trekt haar hand terug en kijkt. Er zit een diepe scheur in de top van haar vinger. Terwijl ze kijkt, komt er een druppel helderrood bloed naar buiten.

Fleur gilt. Mama komt meteen naar haar toe rennen en papa volgt even later. Zijn bolle buik danst op en neer van de haast. Het is een grappig gezicht, maar Fleur is te erg geschrokken om te kunnen lachen.

'Wat is er gebeurd?' vraagt mama. Ze heeft grote schrikogen.

'Goof heeft me gebeten,' snikt Fleur.

'Nou, Goof,' zegt papa en hij buigt zich over het hok, 'dat is raar. Dat doe jij anders toch nooit?'

Goof zegt niks. Hij zit diep weggedoken onder het stro. Misschien schaamt hij zich wel.

Mama neemt Fleur mee naar de keuken. Daar staat tante Jeanette al klaar met een doekje. Ze maakt de wond schoon.

'Ik zou toch maar even langs het ziekenhuis gaan,' zegt ze. 'Goof heeft echt heel hard gebeten.'

Fleur knikt. Dat wist ze al.

Tante Jeanette doet een verbandje om de zere vinger. Daarna schenkt ze de chocolademelk in. Fleur drinkt voorzichtig, met de verbonden vinger omhoog. Net als een deftige dame.

Voor ze weggaan, loopt ze nog even de tuin in.

'Dag Goof,' zegt ze. 'Wij gaan naar het ziekenhuis. Omdat jij me hebt gebeten.'

'Als je het maar weet,' zegt papa tegen het hok.

Tante Jeanette geeft Fleur een zakje met snoepjes voor onderweg.

Het ziekenhuis is dichtbij en er zitten gelukkig niet veel mensen te wachten. Fleur mag al snel een klein kamertje in.

Een aardige dokter pakt heel voorzichtig haar vinger uit. Hij kijkt naar de wond. Er zit gedroogd bloed op.

'Kun je je vinger bewegen, Fleur?' vraagt hij.

Ze probeert het, en het lukt. Maar het doet wel een beetje pijn.

'Ik hoef het niet te hechten,' zegt de dokter. 'Gewoon goed verbinden en een beetje rustig aan doen. Ik stuur wel even een zuster.'

De zuster is een man. Hij ziet er moe uit.

'Wie heeft dat nou gedaan, meid?' vraagt hij.

'Goof,' zegt Fleur.

'Goof is een konijn,' zegt papa snel.

'Een konijn? Zeker een konijn met een kater.'

Hij druppelt iets uit een klein flesje in de wond. Het prikt een beetje. Daarna pakt hij een verbandje en begint dat met trillende vingers om Fleurs vinger te winden. Het gaat een paar keer mis.

'Hè, wat een klein vingertje,' mompelt de zuster die een man is.

Maar het lukt toch en Fleur krijgt ook nog een mooie witte ballon met letters erop.

'Wat staat er?' vraagt ze.

'Er staat: "Hartelijk dank, Goof",' zegt papa.

Bij de kerstbomenkoopman is het drukker dan in het ziekenhuis. Mama en papa lopen tussen de bomen door om een mooie uit te zoeken. Fleur loopt achter hen aan.

'Niet te groot,' zegt papa. 'Dan kunnen we de hele kerst niet meer in de kamer zitten. En alles komt ónder de naalden.'

'Heeft u al iets gevonden?' vraagt de kerstbomenkoopman eindelijk.

'Ik vind deze mooi,' zegt Fleur. Ze wijst met de vinger zonder verbandje. De vinger van de hand waar ze de ballon mee vasthoudt. De mooie witte ballon van het ziekenhuis.

Pang!

De ballon is tegen een naald van de kerstboom aangekomen. Nu heeft Fleur een stukje ijzerdraad met een zielig wit lapje in haar hand.

'Ach,' zegt de kerstbomenkoopman. 'Dat is nou pech. Weet je wat? Ik heb hier een lekker stukje chocola om het goed te maken. Lust je dat wel?'

Fleur knikt. Het is melkchocola, ziet ze. Met van die krakerige nootjes erin.

Mama en papa betalen de kerstboom. Papa tilt hem op zijn fiets en begint te lopen. Mama loopt met hem mee. Fleur mag gewoon achterop zitten.

'Papa, wat is een kater?' vraagt ze.

'Wat bedoel je, scheet?' vraagt papa.

'Dat zei de zuster die een man was, in het ziekenhuis. "Een konijn met een kater." Wat is dat?'

Papa lacht. 'Die rare zuster had zélf een kater,' zegt hij. 'Je hebt een kater als je te veel borreltjes gedronken hebt. Dan word je 's ochtends wakker met hoofdpijn en trillende vingers. Dat heet een kater. Weet je wat? Wacht maar tot tweede kerstdag, dan zal ik het je laten zien.'

'O, vast,' zegt mama lachend. 'Vond je het toch een beetje een leuke dag, Fleur?'

Fleur knikt blij. Ze heeft snoepjes gekregen, een ballon én een stuk chocola. En dat allemaal dankzij het konijn van tante Jeanette.

Hartelijk dank, Goof!

Muis

'Zeg scheet,' zegt papa.

Fleur kijkt op.

Dat is eigenlijk gek. Want Fleur heet Fleur, en niet scheet. Maar toch weet ze dat papa haar bedoelt. Tegen mama zegt hij nooit scheet. Tegen mama zegt papa vaak lieffie. En hij zegt ook weleens mama, terwijl ze helemaal niet zijn mama ís. En dan zegt mama weer iets anders. Vent, bijvoorbeeld. Of ze zegt bolle. Of...

'Papa,' vraagt Fleur, 'hoeveel namen hebben mensen eigenlijk?'

'Wat bedoel je?' vraagt papa.

'Gewoon,' zegt Fleur. 'Ik heet Fleur, maar ik heet ook scheet. En poepie, en meisje, en lieverd.'

'O dat,' zegt papa. 'Nou ja, iedereen heeft een achternaam. Jij heet Zuidema, net als ik. En dan heb je nog een voornaam: Fleur. Sommige mensen hebben meer voornamen. Die heten Daniël Johannes. Of Beatrix Armgard Wilhelmina Enzovoorts. Er zijn trouwens ook mensen met twee achternamen. Degenhart Drenth, bijvoorbeeld. Vennegoor of Hesselink. Von Lippe Biesterfeld, Prinses van Oranje, Gravin van Buren, Keizerin van Jipsingboermussel. Maar de meeste mensen heten Fleur Zuidema. Of Frederik de Grote. Of Annie Schmidt.'

'Of scheet,' zegt Fleur.

'Dat is een koosnaampje,' zegt papa. 'Geen echte naam, maar een naam die iemand heeft bedacht voor iemand die lief is.'

'Dus jij zegt scheet omdat ik lief ben,' zegt Fleur.

'Zo is het, poepie,' zegt papa.

'En je zegt lieffie tegen mama,' zegt Fleur.

'Omdat ze lief is,' zegt papa.

'En mama zegt bolle tegen jou,' zegt Fleur.

'Omdat ik dik ben,' zegt papa.

'En lief,' zegt Fleur.

'Dankjewel,' zegt papa. 'Ik doe mijn best.'

Het is een tijdje stil. Fleur probeert de namen te tellen en papa leest in zijn krant.

'Wat wilde je eigenlijk zeggen?' vraagt Fleur.

'Wilde ik iets zeggen?' vraagt papa.

'Ja,' zegt Fleur. 'Je zei: "Zeg scheet."'

'O,' zegt papa. 'Dat weet ik niet meer.'

'Dan was het vast niet belangrijk,' zegt Fleur. Ze denkt nog even na en zegt er dan snel achteraan: 'Bolle...'

'Denk erom!' zegt papa. 'En nu weet ik weer wat ik wilde zeggen. Ik heb een leuke mop gehoord. Een muis en een olifant lopen samen over een bruggetje. Zegt die muis: "Wat stampen we lekker, hè?" Snap je hem?'

Nee, Fleur snapt hem niet. Maar ze lacht toch.

'Die olifant is heel groot,' zegt papa. 'Die stampt natuurlijk. Maar dat kleine muisje toch niet!'

O, dus dat is de grap. Fleur begrijpt het al een beetje beter. Ze wil ook een mop vertellen. Maar hoe moet ze beginnen?

'Ik weet ook een mop,' zegt ze. 'Er hangt een konijn aan de muur...'

Papa begint heel hard te lachen.

'De mop is nog niet uit!' roept Fleur boos. 'Ik was nog maar net begonnen.'

'Maar het is al heel leuk,' zegt papa. 'Een konijn dat aan de muur hangt, dat is gek!'

'Maar het gaat nog verder. Er hangt een konijn aan de muur, en dan vraagt er een man: "Waarom ben jij een konijn?" En het konijn zegt...'

Maar papa luistert helemaal niet. Hij zit te schateren in zijn stoel.

'Het is geweldig!' roept hij. 'Je hebt talent!'

30

'Mag ik hem nou uitvertellen?' gilt Fleur.

Mama steekt haar hoofd om de hoek van de keukendeur.

'Wat gebeurt hier allemaal?' vraagt ze.

'Fleur heeft een mop verzonnen,' zegt papa. 'Vertel hem nog maar eens.'

'Als jij ophoudt met lachen,' zegt Fleur.

Papa belooft het.

'Er hangt een konijn aan de muur en dan komt er een man die vraagt: "Waarom ben jij een konijn?" En dan zegt dat konijn: "Omdat ik geen haas ben." Want het was in een land waar alleen konijnen aan de muur hingen. En hazen niet. Snap je hem?"

Papa begint alweer te gieren, maar mama glimlacht alleen.

'Erg grappig,' zegt ze. 'En heel knap bedacht. Maar nu moeten jullie even naar de winkel, want ik heb geen poedersuiker voor op de oliebollen.'

'Nou, dan gaan we maar, scheet,' zegt papa. Hij wrijft zijn ogen droog en helpt Fleur in haar winterjas.

Buiten, op de galerij, is het flink koud. Er dwarrelen kleine sneeuwvlokjes naar beneden. Misschien gaat het nog wel echt winter worden.

'Kijk,' zegt Fleur. 'Het vlokkert.'

Ze geeft papa een hand. Ze nemen de lift naar beneden en lopen over het voetpad naar het winkelcentrum. Op de houten brug blijft Fleur even staan. Ze kijkt naar het water in de sloot. Er ligt al een dun, grijs laagje ijs op. Maar de eenden kunnen het nog gemakkelijk stukzwemmen.

'Kom,' zegt papa. 'Ik heb het koud.'

Met grote stappen loopt hij over de brug. Fleur huppelt naast hem. En dan moet ze opeens heel hard lachen.

'Wat is er nou weer?' vraagt papa.

'Nou,' zegt Fleur, 'ik dacht opeens: Wat stampen we lekker, hè? Snap je hem?'

En nu heeft Fleur er nog een naam bij.

Muis.

Plastic

Bij Fleur op de galerij, twee deuren verder, woont Ankie. Ankie is al groot, ze is net acht geworden. Daarom geeft ze een partijtje en Fleur mag erheen. Morgen al!

'En we gaan eten bij de clown,' zegt Fleur tegen papa. 'Het stond op de kaart. Ik kom pas thuis als jullie al gegeten hebben.'

'Bij het restaurant met de clown,' zegt papa. 'Jij liever dan ik.'

Dat is nou weer echt iets voor papa. Als Fleur iets leuks heeft, gaat hij erover mopperen. Het restaurant met de clown is juist spannend. Fleur komt er bijna nooit.

'Dat is een plastic restaurant,' zegt papa. 'Alles is er van plastic. De tafels en de stoelen, de frietjes en de sla. Zelfs de mensen die er werken zijn van plastic. Ze hebben een plastic glimlach, let maar eens op. Maar ik wens je veel plezier.'

'Laat hem maar zeuren, lieverd,' zegt mama. 'Hij is gewoon een beetje jaloers dat hij niet mee mag. Het wordt vast een heel leuk feestje.'

Fleur kijkt naar papa. Zou het waar zijn? Is hij jaloers? Hoe ziet jaloers er eigenlijk uit? Papa zit gewoon te lachen.

'Zo is het,' zegt hij. 'Ik ben jaloers. En ga nou maar slapen, want des te eerder is het morgen.'

Maar Fleur kan niet slapen. Op de gang niet, bij het tandenpoetsen niet en als ze in bed ligt al helemaal niet. Fleur denkt aan het feest en aan de plastic frietjes. En aan alle andere kinderen die Ankie heeft uitgenodigd. Die zijn vast ook al groot. Dat zijn een boel dingen om aan te denken.

Toch is het opeens ochtend. De zon schijnt door de gordijnen en in de keuken is papa al bezig met de thee. Eekhoorn Pluim ligt op de vloer en kijkt naar Fleur met zijn zwarte kraaloogjes.

'Kom maar,' zegt Fleur. 'Dan gaan we naar het feest.'

Maar dat is niet waar. Er ligt nog een hele dag tussen nu en het feestje. Een dag vol stofzuigen, boodschappen doen en televisiekijken. De langste dag van de wereld.

Papa zit aan de keukentafel te werken. Mama wil bijna nooit een spelletje doen. De telefoon gaat de hele tijd en het is nooit Ankie die vraagt waar Fleur toch blijft.

Maar dan, als het buiten al bijna donker begint te worden, zegt mama: 'Nou, we gaan maar eens kijken hoe het bij Ankie is. Heb je het cadeautje?'

Fleur knikt blij. Het cadeautje ligt op een heel goede plek. Ze kan het zó gaan halen. Maar – welke plek was het ook alweer? In de kast? Op de tafel onder papa's papieren? In de keuken?

'Nou, dan zoek ik het zo wel,' zegt mama. 'We moeten nu weg, anders kom je te laat. Ik breng het straks wel even.'

Maar je kunt toch niet zonder cadeautje op een feestje binnenstappen? Fleur moet er bijna van huilen.

'Je bent zelf een cadeautje,' zegt papa. Dat helpt ook niet.

'Opschieten nu, anders hoeft het niet meer,' zegt mama streng. Ze kan heel goed streng zijn, maar ze blijft het nooit lang.

Fleur stapt de gang in. En daar, op de mat achter de voordeur, ligt het cadeautje. Klaar om meegenomen te worden.

'Het is een goede plek,' zegt mama. 'Maar ik wou maar dat je hem onthouden had.'

Bij Ankie thuis is het al druk. Er zitten vier grote meisjes aan de eettafel. Allemaal hebben ze een stuk taart en een glas limonade voor zich.

'Dag Fleurtje,' zegt Ankies moeder. 'Wat fijn dat je er bent. Nu zijn we compleet. Ankie mag haar cadeautjes uitpakken.'

Mama gaat weer naar huis. Fleur krijgt ook taart en limonade. Ze kijkt hoe Ankie haar cadeautjes uitpakt: een boek, een doos met kralen, viltstiften en prachtig prinsessenkroontje van plastic.

34

Dan mag Fleur haar cadeau geven. Ze weet wel wat erin zit, maar ze mag het niet verklappen. Dat is moeilijk.

'O, kijk,' zegt Ankie. 'Een vriendschapsboekje. Dat heb ik al van opa gekregen.'

Ze legt het boekje weg en gaat haar nieuwe kralen bekijken.

Fleur weet niet wat ze zeggen moet. Het vriendschapsboekje is juist zo'n mooi cadeau: iedereen kan er iets aardigs in schrijven en een foto van zichzelf erbij plakken. Fleur heeft er zelf al in getekend, en daar heeft Ankie niet eens naar gekeken!

'Nou, Ankie,' zegt Ankies moeder, 'dat is niet aardig! Het is een prachtig boekje. En je hebt toch heel veel vriendinnen? Het is juist goed dat je twee boekjes hebt!'

'Dankjewel, Fleur,' zegt Ankie.

Dan gaan ze spelletjes doen en als het helemaal donker is, moet iedereen zijn jas aantrekken. De papa van Ankie is er nu ook en hij heeft zijn auto voor de ingang van de flat geparkeerd. Met een beetje duwen kunnen ze er allemaal in.

Daar gaan ze, door het donker naar het restaurant met de clown. Fleur zit met haar neus tegen het raam. Zijn ze er al? Is het nog ver?

Eindelijk staat de auto stil. Fleur ziet de ingang van het restaurant. Meteen erachter staat de clown. Een enorme clown. Een reuzenclown. Van plastic.

Een meisje met een petje op brengt ze naar hun plaats. Er hangen allemaal vlaggetjes. Van plastic. De stoelen en de tafel zijn ook van plastic.

Misschien had papa toch gelijk, denkt Fleur.

Het eten wordt gebracht. Op plastic blaadjes. De hamburger zit in een doosje van plastic. Gelukkig is er geen bestek. Fleur kan alleen nog maar aan plastic denken. Ze raakt haar eten niet aan.

'Lust je het niet, Fleurtje?' vraagt de mama van Ankie.

'Alles is van plastic,' zegt Fleur zacht. 'Papa zei dat dit het plastic restaurant was.'

De mama van Ankie lacht. 'Ja, dat is zo. Maar het eten niet, hoor. Plastic eten bestaat niet. Probeer maar.'

Fleur lacht ook. Het restaurant is misschien van plastic, maar het eten niet. Dat kan niet. En Ankies mama is ook niet van plastic. Gelukkig maar. Fleur eet haar hele plastic dienblad leeg.

Als ze thuisgebracht wordt, staat papa al te wachten bij de voordeur.

'Zo, heb je een plastic buik?' vraagt hij.

'En jouw buik is van elastiek,' zegt Fleur.

Binnen vertelt ze alles, ook van de spelletjes en de taart en de auto. Maar ze zegt niets over het vriendschapsboekje dat Ankie al had.

Dat was te jammer om te vertellen.

Op het ijs

'Ik denk dat ik dit pas wil doen als ik zes ben,' zegt Fleur.

Ze zit met haar billen op het harde, koude ijs. De schaats onder haar linkervoet hangt scheef en er kleeft sneeuw aan haar handen.

'Kom op,' zegt papa. Hij trekt haar overeind en begint aan de schaats te prutsen.

'Het lukt toch nooit,' zegt Fleur.

'Natuurlijk wel,' zegt papa. 'Ik heb het toch ook geleerd? Nou, en als ík het kan, kan iedereen het.'

'Wanneer heb jij het geleerd?' vraagt Fleur.

'In de verschrikkelijke winter van 1969. Het was zo koud dat de lucht bevroor. Alle huizen stonden in een grote klont ijs en overal lagen afgevroren neuzen. De honden piesten ijsblokjes en het huis stond zo vol met loeiende kachels dat we rechtop moesten slapen.'

'Is dat onzin?' vraagt Fleur.

'Heel zeker niet,' zegt papa. 'Maandenlang bleef het koud. De treinen vroren vast aan de rails en de vliegtuigen bleven doodstil tussen de wolken hangen. En daar stond ik, op het slootje voor ons huis. Met een stoel.'

'Waarom had je een stoel?'

'Om achter te schaatsen natuurlijk,' zegt papa. 'Dan val je niet zo snel om.'

'Ik heb geen stoel,' zegt Fleur.

'Nee, maar jij hebt mij. Kom maar voor me staan, dan glijden we samen een stukje.'

Zo gaat het wel lekker. Papa heeft Fleurs armen vast en neemt haar mee over het ijs. De koude wind doet haar wangen gloeien.

En kijk, daar is Ankie. Ze is met een hele groep meisjes op het

ijs. Allemaal dragen ze hoge schaatsen met witte schoenen. Ze draaien rondjes op één been of schaatsen achteruit. Het lijkt heel erg gemakkelijk.

'Ik wil ook zulke schaatsen,' roept Fleur.

'Dan moet je het eerst goed kunnen,' zegt papa. 'En je leert het het snelst op deze schaatsen. Daar ga je!'

Papa laat Fleurs armen los. Ze begint meteen te wiebelen.

'Rustig blijven staan, Fleur!' roept papa. 'Laat je maar glijden.'

Maar Fleurs voeten willen sneller dan haar lijf. Ze maait wild met haar armen en gilt. Dan valt ze weer, bom!, op haar billen. Het doet geen pijn, maar Fleur is wel boos.

'Je moet me niet loslaten,' roept ze. 'Dat is gemeen.'

'Het kan niet anders, scheet,' zegt papa. 'Maar ik maak het goed. Daar staat een koek-en-zopie.'

Fleur kijkt, maar ze ziet alleen een soort tentje met een tafel erin. Er staan wat mensen bij die drinken uit plastic bekertjes. Op het ijs rond het tentje ligt een grote plas vuilgeel water. Daar moet je maar liever niet in vallen.

'Je krijgt warme chocolademelk van me,' zegt papa. 'Ga maar op dat steigertje zitten, dan breng ik het wel.'

Hij schaatst meteen weg. Fleur krabbelt moeizaam overeind. Daar staat ze weer te wankelen op haar schaatsen. Voetje voor voetje schuift ze over het ijs. Het steigertje is niet ver, maar de weg erheen is lang.

Als ze er bijna is, komt Ankie naast haar rijden.

'Wat gaat dat goed, Fleurtje!' zegt ze. 'Toen ik zo oud was als jij, kon ik dat nog niet.'

Fleur kijkt op. Zou dat echt waar zijn? Ze gaat er meteen wat rechter van staan. Zonder te vallen komt ze bij de steiger. Ze is blij dat ze kan zitten. En daar is papa alweer.

'Ha die Ankie,' zegt hij. 'Wil je ook chocolademelk? Neem de mijne maar, dan haal ik nog een bekertje.'

Als hij zich omdraait en weg wil schaatsen, blijft zijn ene voet hangen achter een stukje riet dat aan het ijs gevroren is. Papa maait met zijn armen, draait bijna een heel rondje en valt dan met een grote klap op zijn billen.

Pang! zegt het ijs en meteen trekt er een lange, witte scheur in.

'Dat is ook wat,' zegt papa. Hij staat op en kijkt beteuterd naar de scheur. 'Dat had je vroeger niet. In de winter van 1969 was het ijs een stuk steviger.'

'En jij was een stuk minder dik,' zegt Fleur.

'Daar weet jij helemaal niets van, wijsneus,' lacht papa. 'Toen was jij nog niet geboren!'

Nee, denkt Fleur, ik zat nog niet eens in mama's buik. Ik zat op het warme plekje diep in haar hart.

Papa schaatst naar de koek-en-zopie. Fleur kijkt naar de chocolademelk in haar plastic beker. Er drijft een dik, groezelig vel op. Als ze het weg wil duwen, brandt ze haar vinger.

'Ik ben vandaag ook al drie keer gevallen,' zegt Ankie. 'En mijn voeten doen pijn.'

Het is raar, denkt Fleur. Iedereen heeft het koud, iedereen valt, iedereen heeft zere voeten. En bij iedereen drijft op de chocolademelk een dik, vet vel.

Maar iedereen lacht. Alsof het toch leuk is.

Verrassingen

'Vanmiddag moet ik even de stad in,' zegt papa. 'En je kan niet mee, want ik ga kletsen over saaie dingen. Dus komt oma op je passen.'

'Welke oma?' vraagt Fleur.

Want ze heeft er twee: oma Auto en oma Fiets. Die heten zo omdat oma Fiets geen auto heeft.

'Oma Auto,' zegt papa. 'Ze komt straks.'

Fleur gaat alvast bij het raam staan. Ze kan oma Auto altijd al zien aankomen over de grote weg. Haar autootje is rood en klein en er zitten witte stickers op het achterraam. Maar je kunt vooral zien dat het oma's auto is doordat ze altijd zwaait als ze langs de flat rijdt.

Het is wel druk op de weg, maar alle auto's kunnen hard doorrijden. Fleur ziet vrachtwagens en bussen en heel veel kleine autootjes daartussen. Dat rijmt.

'Vrachtwagens en bussen en kleine autootjes daartussen,' zegt Fleur.

'Dat is zo mooi, ik ga je kussen!' zegt papa.

Maar net op dat moment rijdt er een klein rood autootje over de snelweg. Een rood autootje met witte stickers achterop en een zwaaiende arm uit het raampje.

'Oma!' roept Fleur en ze zwaait terug. Met haar neus tegen het raam kan ze zien hoe het autootje van de weg afdraait en met een grote bocht onder het viaduct verdwijnt.

Fleur rent naar de gang en trekt de voordeur open. Met haar gezicht tussen de spijlen van het hek op de galerij telt ze tot honderd. Bij achtentachtig al rijdt oma de parkeerplaats op. Als ze is uitgestapt, zwaait ze weer.

Nu rent Fleur naar het einde van de galerij en wacht op de lift.

Twintig tellen, langer duurt het niet. Dan stapt oma de galerij op en kan Fleur haar eindelijk knuffelen.

'Stond je al te wachten, meid?' vraagt oma lachend.

'Ik sta altijd te wachten,' zegt Fleur.

Oma rommelt wat in haar tasje en haalt een surprise-ei tevoorschijn. Fleur rent ermee terug naar huis.

Papa staat in de deuropening.

'Heb je weer wat,' zegt hij. 'Bofkont.'

'Dag jongen,' zegt oma tegen papa. Ze geeft hem drie dikke kussen en een tikje tegen zijn buik. 'Je lijkt wel wat afgevallen.'

'En jij lijkt wel wat ouder geworden,' zegt papa. Hij trekt zijn jas aan en geeft Fleur een kus boven op haar hoofd. 'Lief zijn voor oma!' Dan trekt hij de deur achter zich dicht.

Fleur pelt aan tafel het zilverpapier van haar ei. Voorzichtig neemt ze een hapje. Nu kan ze het gele plastic doosje al zien waar de verrassing in zit. Na nog twee hapjes kan ze het eruit halen. Oma maakt het voor haar open.

'Het is een puzzel,' zegt Fleur boos. Ze haalt de kartonnen stukjes niet eens uit het doosje. 'Weer zo'n stomme puzzel. Ik wil een vliegtuigje, of een gek mannetje.'

'Tja,' zegt oma. 'Dat heb je met verrassingen. Die kunnen nog weleens tegenvallen. Gelukkig heb je tenminste chocola. Wil je er ook iets bij drinken?'

Fleur knikt en oma loopt naar de keuken om limonade te maken. Ze zal lang wegblijven, weet Fleur, omdat oma altijd limonade maakt met een maatbekertje. Zodat de limonade helemaal precies goed is. Papa doet altijd maar wat.

Oma's tas staat naast Fleur op de stoel. Er zit een portemonnee in, ziet Fleur, en ook een telefoontje. Onder het telefoontje zit iets wits...

Oma is nog steeds bezig in de keuken.

Fleur grijpt in de tas en vindt een tweede surprise-ei. Voorzichtig pelt ze het papier eraf en hapt een stukje chocolade van de bovenkant. Maar ze slikt het niet door: ze laat het uit haar mond vallen en legt het opzij. Daarna peutert ze het plastic doosje met de verrassing eruit en stopt het doosje met de puzzel ervoor in de plaats. Het stukje chocola past met wat proppen weer boven op het ei en het papiertje gaat eromheen.

Ze heeft het alles net teruggestopt onder de telefoon als oma binnenkomt met de limonade.

'Het duurde een beetje langer,' zegt ze met een lach. 'Ik kan in jullie keuken nooit iets vinden. Wanneer leert jouw vader toch eens opruimen!'

'Als ík het leer,' zegt Fleur. 'Papa zegt altijd dat hij die slordigheid van mij heeft.'

Oma lacht. 'Maar goed, hier is je drinken. En laat nou die puzzel maar eens zien. Wie weet is hij hartstikke leuk.'

Fleur voelt dat ze rood wordt. Wat moet ze zeggen? Oma wordt vast boos als ze merkt dat Fleur het andere ei heeft opengemaakt. Wat dom dat ze daar niet aan gedacht heeft!

'Ik heb een nieuwe film van Assepoester!' roept Fleur. 'Wil je die zien?'

'Nee, ik wil geen televisiekijken,' zegt oma. 'Dat doe ik al vaak genoeg met opa. Ik wil iets leuks doen.'

Fleur rent naar het raam. 'Dan gaan we auto's tellen. Jij de blauwe en ik de rode. Wie het eerst bij tien is.'

Oma zucht. 'Fleur, waar is de puzzel? Heb je hem weggegooid?'

Fleur schudt hard van nee.

'Waar is hij dan?'

'Terug in het ei,' fluistert Fleur.

'Hoe kan dat nou,' zegt oma. 'Geen onzin vertellen.'

'Ik heb een nieuwe surprise gewenst,' zegt Fleur, nog steeds heel zacht. Ze opent haar hand. Daar ligt het andere gele doosje. Het is nog dicht. 'Wil jij hem openmaken?'

Nu zet oma haar strenge gezicht op. 'Fleurtje, heb jij in mijn tas zitten snuffelen?'

'Ik vind puzzels stom,' zegt Fleur. Haar hoofd is zo warm dat je er een eitje op zou kunnen bakken.

'Dus jij hebt geen nieuwe surprise gewénst, maar je hebt er gewoon eentje gepákt,' zegt oma langzaam. 'Zonder het aan mij te vragen. Dat vind ik heel, heel stout van jou.'

Fleur slikt. De tranen branden achter haar ogen en ze kan niet meer praten. Het is ook zo erg! Eerst heeft ze aan papa beloofd dat ze lief zou zijn voor oma, en nu is ze meteen al heel erg stout geweest… Maar ze wist niet dat het stout was. Nu weet ze het wel, maar toen ze het deed nog niet. Toen dacht ze dat het slim was.

Kan ze dat uitleggen? Nee, haar keel zit nog steeds dicht, en als ze haar mond opendoet, begint ze te huilen.

Oma zoekt in haar tas en vindt het surprise-ei. Het zilverpapier valt er vanaf als ze het omhoog houdt. Maar het losse stuk chocolade blijft zitten.

'Dit heet pikken, Fleur,' zegt oma boos. 'Iets wegnemen zonder het te vragen heet pikken. En ik had het niet van jou verwacht…'

Nu valt het stukje chocolade toch. Het komt met een mooi boogje op oma's neus terecht. Vandaar glijdt het langs haar wang naar beneden tot in de kraag van haar bloesje.

Eventjes is het heel stil in de kamer. Fleur houdt zelfs haar snikken in.

En dan begint oma te lachen. Ze voelt met haar vingers aan het bruine spoor op haar wang en vist het stukje chocola uit haar kraag. Daarna stopt ze het in haar mond en likt haar vingers af. En ze lacht nog steeds.

Fleur lacht ook, maar niet zo hard. Misschien is oma straks gewoon weer boos...

Maar oma wenkt dat ze bij de tafel moet komen. Nog steeds lachend maakt ze het nieuwe plastic doosje open. Er rollen allemaal kleine stukjes op de tafel en op een papiertje staat dat je daar een helicopter van kunt maken. Een helicopter met een banaan erin.

'Schurk,' zegt oma zachtjes. Ze kietelt Fleur even in haar zij.

En dan gaan ze samen de helicopter bouwen.

De kinderkrokodil

'Wat denk je?' zegt papa. 'Er zit lente in de lucht. Wordt het alweer eens tijd voor de kinderboerderij?'

De kinderboerderij! Fleur komt er vaak met papa. Dat is altijd zo geweest. Ze kwam er al toen ze nog maar net kon lopen en ook daarvóór, toen ze nog op papa's bolle buik hing. Zelfs toen ze nog lekker warm in haar mama zat, is ze er al geweest. Dat heeft papa verteld.

'Ja,' zei hij, 'je moeder was zo dik dat ze steeds even wilde zitten. Dan ging jij meteen heel hard schoppen omdat je alles wilde zien.'

En er ís veel te zien op de kinderboerderij! Er zijn kippen en duiven en er is een donkere stal waarin de geiten wonen. Het grote, grijze varken met de borstelharen heeft al twee keer biggetjes gehad. En papa wil altijd het liefst naar de herten kijken. Misschien is dat omdat daar een bankje staat waarop hij zo lekker in de zon kan zitten.

Maar het spannendste dier van de kinderboerderij woont tussen de konijnenhokken en de schapenwei in een vieze moddersloot. Fleur heeft het op een middag, langgeleden, ontdekt. Ze was net bij de lammetjes geweest. Twee eenden zaten elkaar in het water achterna en Fleur rende naar het hekje om ze beter te kunnen zien. En toen dreef daar, in de sloot vlak voor haar voeten, een krokodil.

Papa wilde het eerst niet geloven.

'Welnee poepie,' zei hij, 'dat is gewoon een oude boomstam.'

Maar toen hij beter keek, zag hij het ook. Het was een krokodil, met ogen en al. Een krokodil die erg op een boomstam léék, dat wel. Maar toch een echte krokodil.

Fleur was er een beetje bang voor.

Papa zei dat dat niet hoefde.

'Er zijn geen gevaarlijke dieren op de kinderboerderij,' zei hij. 'Ik denk dat dit een speciale krokodil is. Een kinderkrokodil. Zo eentje die heel stil in het water ligt en af en toe knipoogt naar kleine meisjes.'

En ja, de krokodil knipoogde meteen. Fleur zag het duidelijk.

Dus hebben Fleur en papa hun eigen plekje op de kinderboerderij. Zo gauw ze door het hek zijn, rent Fleur naar de moddersloot om gedag te zeggen. En als ze weer naar huis gaan, nemen ze altijd als laatste afscheid van de kinderkrokodil. Het is een geheim van hun tweeën alleen. Niemand, helemaal niemand anders weet ervan.

'Een prachtige dag om eens te kijken hoe onze vriend de kinderkrokodil het maakt,' zegt papa als ze op de galerij staan. Hij snuift nog eens diep, neemt Fleur mee in de lift en haalt de fiets uit de box.

Het is wel tien minuten rijden en Fleur zou het liefst de hele weg zingen, maar ze kent niet genoeg liedjes. Daarom legt ze haar hoofd tegen papa's warme rug en kijkt naar de bolle wolken. De hele wereld ruikt naar gras.

Op de kinderboerderij is het druk. Er staan trekkers en vrachtauto's.

'Dag Fleur,' zegt de baas. 'Ben je daar weer eens? We zijn hard aan het werk hier. Er komt een nieuwe stal voor de paarden en we maken de schapenwei een stukje groter. We hebben zoveel lammetjes!'

Fleur luistert niet. Ze holt langs de hooiberg en de konijnenhokken, ze loopt naar het hek – maar er is geen hek! Er is ook geen sloot meer. Fleur ziet alleen een brede baan nat zand. De kinderkrokodil is nergens te bekennen. De kinderkrokodil is weg!

Papa staat nog met de baas te praten. Fleur rent terug en trekt hem aan zijn mouw.

50

'Kom mee,' zegt ze. 'Kom kijken. Het is niet goed.'

'Wat is er niet goed, lieverd?' vraagt papa. Hij loopt met Fleur mee.

Ze komen bij het zand.

'Dat is zeker niet goed,' zegt papa. Hij kijkt om zich heen. 'Ik denk dat dit zand straks bij de schapenwei komt.'

'Ze hebben de kinderkrokodil begraven,' zegt Fleur. Ze moet ervan huilen.

'Nee, dat denk ik niet,' zegt papa. 'Ik hoop het niet. Kom, we gaan hem zoeken.'

Samen lopen ze de hele kinderboerderij rond. Ze zoeken in alle sloten, tussen de bosjes en achter de hokken en stallen. Maar de kinderkrokodil blijft weg en Fleur weet bijna zeker dat hij onder het zand ligt. Onder dat nare, natte zand. En straks lopen er lammetjes overheen. Fleur houdt erg veel van lammetjes, maar nu is ze toch boos. Boos van verdriet.

'Luister eens, Fleur,' zegt papa. 'We moeten met de baas gaan praten. Die weet misschien wel waar de kinderkrokodil gebleven is.'

'Maar het is een geheim,' zegt Fleur.

'Toch zit er niets anders op,' zegt papa. 'We zullen zeggen dat het een geheim is. Dan vertelt hij het niet verder.'

De baas is aan het timmeren in de nieuwe paardenstal.

'Mag ik even storen?' zegt papa. 'We zijn een dier kwijt.'

'Wat zeg je me nou?' vraagt de baas. 'Welk dier dan?'

'Het is eigenlijk een geheim,' zegt papa. 'Dus je mag het niet verder vertellen.'

'Ik zeg niks,' zegt de baas.

'In die sloot daar, achter de konijnenhokken, daar woonde een krokodil,' zegt papa. 'Een vriendelijke krokodil.'

'De kinderkrokodil,' zegt Fleur.

'Je bedoelt die boomstam?' vraagt de baas.

'Nee, het léék een boomstam,' zegt papa. 'Maar het was de kinderkrokodil.'

'Ik begrijp het,' zegt de baas.

'Heb je hem begraven?' vraagt Fleur bang.

'Nee, natuurlijk niet,' zegt de baas. 'Hij is bij mij achter. Wil je hem zien?'

De baas legt zijn spullen weg en loopt naar zijn huis. Het huis staat vlak naast de kinderboerderij. Fleur is er nog nooit geweest. Dat mag ook niet. Maar nu vraagt de baas zelf of ze meegaan, dus het is goed.

Achter het huis is een schuur en tegen die schuur staat een grote stapel houtblokken.

'Voor m'n open haardje,' zegt de baas. 'Ik heb heel wat verstookt deze winter.'

Naast de stapel houtblokken liggen een paar grote stammen op de grond. En daarachter, klein en bang, ligt de kinderkrokodil. Fleur ziet alleen zijn oog. Het knipoogt naar haar.

Fleur rent naar hem toe. Ze slaat haar armen om hem heen. Dan ziet ze een bijl en een zaag liggen en ze begrijpt opeens alles.

'Jij wilde hem stukmaken en verbranden in je open haard!' schreeuwt ze naar de baas. 'Dat is gemeen! Dat mag niet!'

'Nou, Fleur,' zegt papa. 'Rustig een beetje...'

'Helemaal niet,' zegt de baas. 'Maar hij had het zo koud deze winter. Er lag allemaal ijs in de sloot. Daar kunnen krokodillen niet tegen. Daarom heb ik hem meegenomen naar mijn huis. Dan kon hij lekker bij de open haard liggen. En nu het weer lente is, mag hij weer naar buiten. Hij is vandaag voor het eerst weer buiten. Begrijp je?'

Fleur gelooft het niet helemaal. Maar ze is zo blij dat ze de kinderkrokodil terug heeft, dat ze er verder niet over nadenkt.

'We zullen een nieuw plekje voor hem zoeken,' zegt de baas. 'Weet jij misschien iets, Fleur?'

'Nee, ik,' zegt papa. 'Bij de herten is een mooie sloot. Daar is het rustig. Dat is prettig voor een krokodil.'

Papa en de baas tillen de kinderkrokodil op. Samen dragen ze

52

hem de kinderboerderij door, tot aan de sloot bij de herten. Daar laten ze hem voorzichtig in het water glijden.

De kinderkrokodil is zo blij! Hij draait van zijn rug op zijn buik en hij knipoogt met allebei zijn ogen.

Fleur staat een hele tijd stil naar hem te kijken. Papa zit op het bankje in de zon.

'Ik was zo bang dat je onder het zand lag, krokodil,' zegt Fleur. 'Ik was zo boos op de lammetjes die over je heen wilden lopen. Maar nu ben ik niet boos meer.'

'De lammetjes!' roept papa. 'Die waren we bijna vergeten…!'

Ze gaan meteen kijken.

Vallen

Het is nog bijna helemaal donker als Fleur wakker wordt. Ze gaat rechtop in haar bed zitten en kijkt naar buiten. De straatlantaarns branden en er zijn haast geen auto's op straat. In huis is het stil.

Fleur staat op en loopt naar de kamer van papa en mama. Daar liggen ze, in het grote bed, en ze slapen als marmotjes. Mama ligt helemaal opgerold en papa ligt op zijn rug en snurkt zachtjes.

Voorzichtig kruipt Fleur tussen hen in. Mama mompelt: 'Dag lieverd,' en papa draait zich op zijn zij naar haar toe. Hij stopt meteen met snurken. Fleur voelt zijn neus in haar nek.

'Ik ruik iets,' fluistert papa. 'Ik ruik limonade en slagroomtaart. Ik ruik cadeautjes en slingers, ik ruik tantes en neefjes en oma's. Ik ruik... Een jarige Job!'

Fleur krijgt drie dikke zoenen op elke wang. Drie van papa en drie van mama. Dan knipt mama het bedlampje aan.

'Ik voel iets,' zegt mama. 'Er ligt iets onder het bed. Helemaal onder de matras, maar ik kan het voelen.'

'Net als de prinses op de erwt!' roept Fleur. Ze kruipt over papa's bolle buik het bed uit.

'Oempf,' zegt papa.

Fleur gaat plat op de vloer liggen. En daar, midden onder het bed, ligt een pakje. Ze kan er net bij met haar handen.

Snel klimt ze terug naar haar warme plekje tussen papa en mama.

'Oempf,' zegt papa weer.

Fleur begint aan de plakbandjes te peuteren. Scheuren wil ze niet, want het papier is veel te mooi. Er staan beertjes en ballonnen op. Met mama's hulp krijgt ze het pakje keurig open.

Het is een boek, een prachtig boek over Kikker. Daar heeft Fleur al veel boeken van, maar dit had ze nog niet. Mama leest het meteen voor. Het gaat over Kikker die jarig is, maar dat heeft hij zelf niet door.

'Nou, dat is dom!' roept Fleur. 'Wie vergeet er nou zijn eigen verjaardag! Krijg ik nog meer cadeautjes?'

'Rustig,' zegt papa. 'We gaan eerst maar eens naar beneden.'

Mama trekt haar mooie rode kamerjas aan en papa zijn feestonderbroek met de clowntjes. Zo lopen ze samen naar de huiskamer.

'Niet kijken!' roept papa.

Fleur knijpt haar ogen stijf dicht. Ze hoort hoe papa de kamerdeur opendoet en dan voelt ze twee handen op haar schouders. Ze wordt zachtjes vooruit geduwd.

'Kijk maar,' zegt mama.

De hele kamer is versierd. Overal hangen slingers en trossen ballonnen. Aan Fleurs stoel bij de eettafel zijn allemaal vlaggetjes vastgemaakt. En midden in de kamer, vlak voor Fleurs neus, staat een fiets.

En niet zomaar een fiets! Het is de allermooiste fiets die Fleur ooit gezien heeft. Hij is roze met geel en een beetje blauw. Er hangt een wit mandje aan het stuur en achterop is een echt kinderzitje waar haar pop al in zit.

Maar het prachtigste is nog wel de bel. Die is groot en glimmend en bovenop zit een plaatje van het elfje van Peter Pan.

'Een Tinkelbel,' zegt papa.

Fleur weet niet wat ze moet zeggen. Zo'n geweldige fiets, en helemaal alleen van haar. Maar dan opeens mist ze toch iets.

'Er zitten geen zijwieltjes aan,' zegt ze.

'Natuurlijk niet!' roept papa. 'Zo'n grote fiets, dat past niet. Je moet het voortaan zonder doen.'

Zonder zijwieltjes? denkt Fleur. Dat kan ik helemaal niet... Ze trekt een heel beteuterd gezicht.

Mama moet erom lachen. 'Je leert het heel snel,' zegt ze. 'En het is toch juist leuk? Straks kun je zelf naar tante Jeanette fietsen, en naar school. Naar de nieuwe, grote school!'

'Moet ik daar nu heen?' vraagt Fleur.

'Nee,' zegt mama. 'Vandaag ben je jarig. Morgen mag je naar school.'

'Wat gaan we vandaag dan doen?'

'Wat je wilt,' zegt papa. 'Het is jouw dag. De visite komt pas rond koffietijd, dus je hebt nog wel even.'

'Ga maar fietsen met papa,' zegt mama. 'Dan kunnen we daarna een appeltaart bakken.'

Even later staan Fleur en papa buiten. In het eerste ochtendlicht, op de grote parkeerplaats voor de flat. Papa leert haar hoe ze moet opstappen.

'Kijk, je houdt de fiets een beetje schuin en stapt met één voet op de trapper. Dan step je een stukje en je gaat zitten. Andere voet op de trapper en rijden maar. Makkelijk zat.'

Fleur doet precies wat papa zegt. Maar bij het steppen valt ze al om. Papa kan haar nog net vastgrijpen.

'Hopla! En nog een keertje,' roept hij. 'Ik houd het zadel vast. Er kan je niks gebeuren.'

Daar gaat Fleur alweer. Voet op de trapper, step-step, billen op het zadel...

'Au!' roept papa. 'Je gaat boven op mijn duim zitten met die puntbillen van je.'

Fleur rijdt een paar rondjes over de parkeerplaats. Soms wiebelt ze heel erg, maar papa houdt het zadel stevig vast. Hij zweet een beetje en zijn hoofd is rood van de inspanning.

'Gaat het nog, papa?' vraagt Fleur.

'Nauwelijks,' hijgt papa.

'Laat me dan maar los,' zegt Fleur.

'Weet je het zeker?'

Fleur knikt. Ze klemt haar handen om het stuur tot de knokkels wit worden. Dan voelt ze dat papa loslaat. De fiets slingert, maar ze blijft zitten. Ze kijkt recht vooruit en ze trapt stevig door. Ze fietst! Fleur fietst, zonder zijwieltjes!

Aan het eind van het parkeerterrein moet ze draaien. Maar dat is moeilijk... Voor Fleur weet wat er gebeurt, is haar voorwiel helemaal omgeklapt. Ze valt voorover, op de harde stenen.

En dus moet papa weer rennen. Hij komt precies op tijd om Fleur te zien beginnen met huilen.

'Tja, dat hoort erbij,' zegt papa. 'Je zal nog wel een paar keer onderuit gaan. Maar je hebt lekker toch een heel stuk zelf gefietst!'

'Geweldig!' roept mama vanaf de galerij.

Fleur kijkt op. Door haar tranen heen ziet ze hoe mama, daar hoog in de lucht, staat te klappen en haar duim opsteekt.

'Kom je, Fleurtje? We gaan de taart bakken. Vanmiddag kan je wel weer even fietsen.'

Papa draagt de fiets de lift in. Fleurtje loopt zelf, al moet ze wel een beetje hinken. Gelukkig heeft ze nergens bloed. Ze hoeft alleen maar haar handen te wassen en dan kan ze aan de appeltaart.

Omdat ze jarig is, mag Fleur bijna alles zelf doen. Ze weegt het meel en de suiker. Ze mag de boter snijden, met de scherpe messen. En ook de appels schillen en uitboren met de appelboor. Ze mag zelfs álle restjes deeg opsnoepen. Papa krijgt er vandaag helemaal niets van, hoe zielig hij ook kijkt.

Eindelijk staat de appeltaart in de oven en Fleur gaat zitten wachten op de visite. Dat is het saaiste stukje van de verjaardag, maar het duurt gelukkig niet lang.

De eerste die komt is oma Fiets. Fleur vertelt haar het hele verhaal van de duim en de valpartij. En ze laat de prachtige bel zien.

'Het is me wat,' zegt oma Fiets.

'En nu ben ik net als jij hè?' zegt Fleur.

'Ja,' zegt oma Fiets. 'Fleurtje Fiets, dat ben jij.'

'Zullen we straks met z'n tweeën een eindje gaan rijden?' vraagt Fleur.

'Nou,' zegt papa, 'ik denk dat je dan eerst nog een beetje moet oefenen.'

'Nee hoor,' zegt Fleur. 'Want vallen is helemaal niet erg, toch oma? Dan vallen we gewoon samen.'

'Het lijkt me enig,' zegt oma Fiets. 'Maar eerst wil ik wel een stukje appeltaart.'

De balzaal

'Luisteren, allemaal,' zegt juf en ze klapt in haar handen. 'We gaan naar de gang en daar trekken we onze jassen aan en we pakken onze gymtas. Hummeltjes eerst!'

Fleur rent meteen naar de deur. Ze mag eerst, want ze is een hummeltje. Ze is pas drie dagen op school.

'Heb je al een gymtas, Fleur?' vraagt juf.

Fleur knikt. Ze tilt haar jas van het haakje. Eronder hangt de tas: een mooie blauwe met haar foto erop. Er zitten nieuwe witte schoentjes in en ook een nieuw blauw balletpak met frutsels. Fleur pakt de tas ook van het haakje.

'Mooi,' zegt juf. 'Trek dan je jas maar aan.'

Dat is niet gemakkelijk. Eerst wil de rits niet goed haken en daarna gaat hij twee keer scheef omhoog. De andere kinderen van de klas staan op het schoolplein te wachten.

'Zal ik je even helpen?' vraagt Sinan.

Sinan is geen hummeltje, hij zit al heel lang op school. Fleur vindt hem aardig. Hij lijkt een beetje op de prins van Assepoester. Daar heeft ze thuis een prachtige video van.

Assepoester is een arm meisje dat naar het paleis van de prins mag komen om te dansen op het bal. Als ze de grote balzaal binnenkomt, in haar toverjurk, ligt er een mooie loper klaar. Daar loopt de prins overheen om Assepoester te begroeten. Ze worden meteen verliefd en later trouwen ze ook met elkaar.

Op die prins lijkt Sinan. En hij is ook handig: Fleurs jas is zó dichtgeritst en samen rennen ze naar buiten.

'Twee aan twee,' zegt juf. 'En ik wil geen kinderen vóór me zien!'

In een lange rij steken ze het schoolplein over, naar het andere stuk van de school waar de gymzaal aan vastzit. Fleur is er

60

nog nooit geweest. Maar gisteren, toen ze in de zandbak speelde, heeft ze andere kinderen daarbinnen horen gillen en lachen, door de hoge ramen heen.

Ze lopen door een gang langs allemaal klassen waar de groten in zitten. Aan het eind van de gang doet juf een deur open. Fleur komt in een kamer met een bank in het midden en een hele rij haakjes aan de muur.

'Kleed je maar om,' zegt juf.

Gelukkig helpt Sinan haar weer, met de knoop van haar broek en de veters in haar schoenen. Verder kan Fleur alles zelf en juf vindt haar balletpak heel erg mooi.

Alle kinderen hebben hun gymspullen aan. Sinan draagt een glimmend paars hemd en een witte korte broek. Fleur vindt hem nu nog meer op de prins lijken.

Dan opent juf een andere deur. De kinderen juichen en rennen achter haar aan. Fleur is de laatste. Op de drempel staat ze stil.

Dit is de grote gymzaal. En wat is hij mooi! De vloer is donkergroen en er staan allemaal gekleurde strepen op. De stenen van de muur zijn ook groen en ze glimmen een beetje. Hoog in de muur zitten de grote ramen, waar de zon doorheen schijnt.

En nog hoger, heel erg hoog, is een plafond met zware, houten balken.

Fleur ziet lange touwen hangen en vreemde, brede ladders tegen de muur staan. Er zijn ook lage banken en er staat een grote mand met ballen.

Sommige kinderen hebben een bal gepakt en spelen daarmee. Anderen rennen gillend achter elkaar aan.

Sinan staat helemaal aan de andere kant van de gymzaal bij een hok met een net ervoor. Juf is daar ook, ze duwt een karretje naar buiten waar een dikke blauwe rol op ligt. Sinan zwaait naar Fleur en hij geeft de rol een zet.

De rol valt van het karretje en komt langzaam naar Fleur toe. Sinan rent erachteraan om hem af en toe een duwtje te geven.

De rol wordt een loper, een prachtige blauwe loper, en precies voor Fleurs voeten is hij helemaal uitgerold.

Sinan komt hijgend naast haar staan.

'Mooi hè,' zegt hij.

Fleur knikt sprakeloos. Ze kijkt naar de loper, stralend blauw in het zonlicht. Ze kijkt naar Sinan in zijn glimmende hemd. Ze kijkt naar haar nieuwe balletpak met de frutsels om haar middel. En ze kijkt naar de witte schoentjes aan haar voeten.

Opeens weet Fleur wie ze is en waar ze is. De touwen, de ladders, de banken en de ballen ziet ze niet meer. Ze ziet alleen de loper en het licht van de zon door de hoge ramen.

Ze pakt Sinans hand en begint te lopen, prachtig rechtop en met mooie, langzame passen.

De andere kinderen houden op met ballen en rennen. Ze staan stil naar Sinan en Fleur te kijken. En juf wacht aan het eind van de loper.

De wandeling duurt lang. Dat geeft niet, hij zou wel de hele dag mogen duren. Sinan probeert zijn hand los te trekken, maar Fleur houdt hem stevig vast. Zij is Assepoester en hij is haar prins, dus ze moeten hand in hand lopen.

Fleur zwaait naar de kinderen langs de loper. Ze zwaait als een echte prinses, met haar vingers. Sommige kinderen lachen erom, maar er zijn er ook die terugzwaaien.

'Kijk eens aan,' zegt juf. 'Wie hebben we daar?'

'Assepoester en haar prins,' zegt Fleur. 'We komen om te trouwen.'

'Wat een hoog bezoek,' zegt juf. 'Maar ik kan jullie niet trouwen. Ik ben een schooljuffrouw, ik moet gymles geven.'

Er vliegt een bal tegen Sinans hoofd.

'Vangen, prins,' roept Jari, de grootste jongen van de klas.

Sinan rukt zijn hand los en holt achter Jari aan. De andere kinderen lachen en beginnen ook weer te rennen.

Fleur is boos op juf. Het was net zo mooi, en juf heeft het sprookje stukgemaakt.

'Dit is de lange mat. Daar kun je op koppeltje duiken. Probeer het maar,' zegt juf. Ze klapt in haar handen. 'Jongens, hier op een rij en koppeltje duiken. Fleur mag eerst, want zij is een prinses.'

'Ik ben nog geen prinses,' zegt Fleur boos. 'Ik ben nog niet met de prins getrouwd.' Maar ze zet toch haar handen op de mat en trekt haar kin op haar borst. Daar gaat ze, met een mooi ronde rug.

'Prima,' roept juf. 'De volgende!'

De gymles duurt nog heel lang. Fleur moet springen en rennen en proberen de bal te vangen. Ze heeft veel plezier en ze is helemaal vergeten dat ze eigenlijk boos was.

Als ze weer terug zijn in de klas, zegt juf: 'Ik ga een verhaal voorlezen.' Ze pakt een groot boek uit de kast en bladert erin. Dan houdt ze het boek omhoog. Fleur ziet een plaatje van een paleis op een berg. Het is nacht, maar uit alle ramen straalt licht naar buiten. Fleur kent dat paleis!

'Assepoester,' zegt juf. En ze begint te lezen.

Klussen

Er komt een enorme herrie uit de keuken. Mama smijt met potten en pannen. En ze moppert er nog bij ook.

'Zo gaat het toch niet. Waar moet ik die spullen allemaal laten? Gek word ik ervan, gewoon gek.'

Niet gewoon gek, denkt Fleur. Raar gek. Mama doet nooit zo boos. Het lijkt wel of ze iemand anders is geworden. Dat is een naar idee.

Fleur kijkt naar papa. Die zit aan de grote tafel en kijkt in de krant, net als altijd op zaterdagochtend. Maar hij slaat de bladzijden niet om, dus misschien leest hij niet echt.

Mama komt de kamer in.

'Nu is het genoeg, bolle,' zegt ze. 'Ik vraag al maanden om een extra plank in de keuken. Ik kan niks meer kwijt. Kleed je aan en ga naar de bouwmarkt. Nu meteen.'

Papa zucht en kijkt op van de krant.

'Niet op zaterdag,' zegt hij. 'Op zaterdag gaat iederéén naar de bouwmarkt. Dan is het zo druk dat je er gek van wordt.'

'Of jij wordt gek, of ik,' zegt mama.

'Maar er staan files,' mompelt papa. 'Er staan altijd files tot over de brug. En het is warm, veel te warm. En ik zou iets leuks gaan doen met Fleur, dat had ik beloofd. En...'

'En voorlopig zit je gewoon in je onderbroek de krant te lezen,' zegt mama. 'Als je nu gaat, ben je over een uurtje terug. Je haalt de spullen, hangt die plank op en iedereen is blij. Dan gaan we daarna met z'n drietjes iets leuks doen.'

Fleur houdt haar adem in. Als papa nu opstaat, komt alles goed. Maar als hij blijft zitten, wordt het helemaal geen leuke dag.

Papa slaat de krant dicht en kijkt naar zijn handen.

'Wat vind jij, Fleur,' vraagt hij. 'Moet ik naar de bouwmarkt?'

Fleur knikt heel hard van ja.

'Twee tegen één,' zegt papa zuchtend. 'Dan ga ik maar. En Fleur gaat mee. Voor straf.'

Fleur springt op en rent naar de deur. Haar jas laat ze hangen, daar is het toch te warm voor.

Maar het duurt lang voordat papa bij haar komt. Eerst gaat hij zijn broek en schoenen aantrekken. Daarna moet hij van alles meten in de keuken. En als hij daarmee klaar is, weet hij niet meer waar hij de autosleutels gelaten heeft.

Fleur staat op en neer te springen van ongeduld. Waarom gaat alles altijd zo langzaam?

Ze begrijpt niet waarom papa geen zin heeft om naar de bouwmarkt te gaan. Daar is juist zoveel te zien! Er staan hele rijen losse ramen en deuren en er is een rek vol wc's waar je niet op mag. En in de hoek waar het hout ligt, ruikt het altijd zo lekker.

Eindelijk is papa klaar. Hij pakt zijn spijkerjack van de kapstok en aait Fleur over haar bol. In de deuropening moppert hij nog even.

'Een plank. Een onnozele plank met twee steuntjes. En daarvoor moet ik op een snikhete dag in de auto gaan zitten. Ik zou veel beter op maandagochtend kunnen gaan. Dan is er niemand in de bouwmarkt.'

Maar dan zit ik op school, denkt Fleur. Dan kan ik niet mee.

'Niks te maandag,' roept mama uit de kamer. 'Veel plezier en tot straks.'

Fleur en papa lopen samen de galerij af naar de lift. Fleur mag op het knopje met de nul drukken. Dat kan ze zelf. Als ze straks weer naar boven gaan, moet papa haar optillen. Het knopje met de zes zit te hoog voor haar.

De auto staat in de zon en het is al behoorlijk warm binnen.

'Mag het bandje met de kinderliedjes aan?' vraagt Fleur.

'Moet dat?' vraagt papa. 'Ik ben al zo zielig...'

Maar hij drukt toch op de knopjes en als de muziek begint, zingt hij keihard mee.

Er staat helemaal geen file. Voor ze het weten, zijn ze al op de parkeerplaats van de bouwmarkt. Er zijn maar weinig auto's. En binnen is het erg stil. Papa kijkt verbaasd om zich heen.

'Dat komt vast doordat het zo warm is,' zegt hij. 'Niet tegen mama zeggen dat het zo rustig was, hoor Fleur. Dat blijft ons geheimpje. Kom, we gaan eerst iets drinken. Anders zijn we veel te vroeg terug.'

Fleur krijgt een glas appelsap en papa neemt koffie. Het meisje dat komt bedienen kijkt erg chagrijnig. Ze morst met het appelsap en ze haalt niet eens een doekje.

Geen wonder dat er zo weinig mensen komen, denkt Fleur. Dit meisje jaagt iedereen de deur uit. En er werken veel van zulke mensen in de bouwmarkt. Je moet het zelf leuk maken.

Fleur en papa kunnen dat goed. Als het appelsap en de koffie op zijn, gaan ze een plank zoeken. Een stevige, brede plank die goed in de keuken past. En steunen, en schroeven, en pluggen en een boortje.

'Ik heb al die dingen vast wel thuis in de box liggen,' zegt papa. 'Maar er is natuurlijk juist iets op, en ik weet nu nog niet wát. Beter mee verlegen dan om verlegen.'

Fleur vindt het leuk als papa van die vreemde dingen zegt. Ze weet niet wat het betekent, maar ze begrijpt het toch. En ze onthoudt het: 'Beter méé verlegen dan óm verlegen.' Mooie zin. Die kan nog weleens van pas komen.

'Dit is een goede plank,' zegt papa. 'Hij is een beetje te lang, maar dat komt thuis wel goed. Ik geloof dat ik alles heb. Laten we maar eens gaan betalen.'

Het is toch een beetje drukker geworden. Bij de kassa's staat al een hele rij. Om de tijd te doden, spelen Fleur en papa *Ik zie, ik zie, wat jij niet ziet*. Fleur wint elke keer. Soms is papa net een blinde kip!

Eindelijk is alles betaald en in de auto geladen. Als ze terug naar huis rijden, zien ze aan de andere kant van de weg de auto's stilstaan.

'Zie je wel,' zegt papa. 'Altijd file. Tot over de brug. Ik zei het toch?'

En mama zegt het ook al, als ze terug zijn: 'Wat zijn jullie laat! Was het erg druk in de bouwmarkt?'

'Nou!' zegt papa en hij geeft Fleur een knipoog. 'Er was geen doorkomen aan. En nu ga ik zagen.'

Papa zet twee keukenstoelen op het balkon en legt de nieuwe plank eroverheen. Hij meet precies welk stuk eraf moet en zet dan voorzichtig zijn zaag in het hout.

Fleur kijkt naar de witte stofjes die naar beneden vallen. Een kleine spin krijgt er precies een op zijn rug en rent van schrik weg. De tegels van het balkon worden langzaam wit. Het lijkt wel of het sneeuwt.

'Nu is het Kerstmis voor de beestjes,' zegt Fleur. 'Een witte kerst.'

Papa kijkt op en lacht. Hij veegt het zweet van zijn gezicht.

'Ja,' zegt hij. 'Witte kerst, daar kan je nooit genoeg van hebben.'

'Beter mee verlegen dan om verlegen,' zegt Fleur. En ze begint te zingen van de stille nacht, heilige nacht.

Rare beesten

'Er horen nog helemaal geen wespen te zijn,' bromt papa. 'Het is nog veel te vroeg in het jaar voor wespen.'

'Misschien weet deze wesp dat niet,' zegt mama. 'Je moet het hem maar even vertellen.'

'Ik zal het hem vertellen met deze menukaart,' roept papa. Hij pakt het roodbruine boekje van tafel en begint om zich heen te maaien.

Fleur drinkt van haar cola en zit heel stil. Als je heel stil zit, doet een wesp je niets. Dat heeft ze van mama geleerd. De andere mensen op het terras zitten ook stil. Niemand doet zo gek als papa. Gelukkig houdt hij er al snel mee op.

'Zo, die is weg,' zegt hij tevreden.

'Nee hoor, bolle,' zegt mama. 'Hij zit in je haar.'

Papa springt op en begint met zijn handen door zijn haar te vegen. 'Waar? Waar?' gilt hij. 'Zit hij er nog? Is hij weg?'

Het is een raar dansje dat papa opvoert. Zijn bolle buik schommelt en deint, hij tilt zijn benen hoog op en wappert met zijn armen naar alle kanten. De andere mensen op het terras kijken allemaal verbaasd en lacherig toe.

Mama neemt een slokje van haar koffie.

'Hij is weg,' zegt ze dan. 'Doe toch eens normaal, bangebroek. Kijk naar Fleur, die blijft rustig zitten.'

'En ik ben al eens geprikt,' zegt Fleur.

'Het gaat helemaal niet om het prikken!' roept papa terwijl hij met een rood hoofd weer gaat zitten. 'Het gaat om dat gezoem! Dat irritante gezoem vlak bij je oor. Dáár kan ik niet tegen. Kijk, als een wesp nou heel stilletjes aankwam en dan meteen even zou steken en weer zachtjes verdwijnen, dan was er geen probleem. Dan had je alleen maar even pijn. Maar dat gezoem de hele tijd en dat je dan weet dat hij kán gaan prikken, maar je weet niet waar of wanneer, dat is nou...'

'Genoeg, Jan,' zegt mama. 'Wat een dom verhaal.'

'O, dus dat is een dom verhaal,' zegt papa mopperig. 'Nou, ik vind het géén dom verhaal. Weet je nog van die wespen in Frankrijk? Die superwespen daar? Daar moest toch mooi de brandweer bij komen, bij dat nest. In van die zware pakken en met spuiten vol gif. Weet je dat niet meer?'

'Hou nou maar op,' zegt mama. 'Fleur is net zo dapper en jij maakt haar weer bang.'

'Nee hoor,' zegt Fleur. 'Ik ben niet bang.'

Ze wil een slok cola nemen, maar papa houdt haar tegen. Hij pakt de menukaart weer op.

'Kijk, hij zit op de rand van je glas,' zegt papa. 'Wacht maar...'

Heel voorzichtig brengt hij de menukaart tot boven Fleurs colaglas. Als de wesp op het randje zit, slaat papa... Pats! Het glas valt om en de cola stroomt over het tafeltje. Er zat gelukkig niet zo heel veel meer in. Midden in de bruine rivier spartelt de wesp, op zijn rug. Papa slaat nog een keer. Nu spat de cola hoog op. Fleur krijgt spetters in haar ogen en er komt ook wat op mama's witte bloes.

'Getverderrie!' roept mama. 'Kijk nou wat je doet!'

Maar papa kijkt alleen naar de wesp. 'Die is er geweest,' zegt hij trots.

Fleur begint te giechelen.

'Wat heb je nou?' vraagt papa. 'Wat zit je nou stom te lachen?'

'Ik lach omdat die wesp zo klein is,' zegt Fleur. En dan moet mama ook lachen.

De mevrouw van het terras komt aanlopen. Ze haalt de lege glazen en kopjes weg.

'Het spijt me van de cola,' zegt papa. 'Het was een ongelukje.'

'Dat geeft niet hoor,' zegt de mevrouw. 'Heel veel kinderen hebben ongelukjes.'

'Dat geloof ik best,' zegt mama met een boze blik naar papa.

'Maar dat zijn dan vast geen bolle kinderen van eenenveertig jaar.'

Fleur moet zo hard lachen dat ze zich verslikt en heel erg moet hoesten. Mama slaat haar op haar rug.

'Kijk nou,' zegt de mevrouw terwijl ze met een doekje de tafel schoonveegt. 'Een wesp. Is dat niet een beetje vroeg in het jaar?'

'Ja, en daar is hij nu ook achter,' zegt papa boos. Hij betaalt de rekening en staat op. 'We gaan het bos in. Een dagje uit is niet compleet zonder een stevige boswandeling.' En meteen verdwijnt hij al tussen de bomen aan de rand van het terras.

'Is papa heel boos?' vraagt Fleur.

'Welnee,' zegt mama. 'Papa kan zich soms enorm aanstellen. Kom, we gaan met hem mee.'

Tussen de bomen is het lekker koel en er vliegt van alles rond, maar gelukkig geen wespen. En papa is alweer net zo vrolijk als meestal.

'Je moet heel stil zijn, scheet,' fluistert hij. 'Als je herrie maakt, krijg je nooit bijzondere dieren te zien of te horen.'

Fleur knikt, ze perst haar lippen op elkaar en probeert te lopen zonder geluid te maken. Papa en mama doen ook hun best, maar toch kraakt er opeens een takje.

'Hoorde je dat?' vraagt papa. 'Dat was de takkentor. De takkentor is een heel klein beestje en als er gevaar dreigt, doet hij een heel grote tak na. Knak! Hij moet hier vlak in de buurt zitten...'

Papa gaat op zijn hurken zitten en speurt de grond af, maar hij vindt niets. Als hij weer overeind komt, laat hij een harde wind.

'Aha!' roept hij blij. 'De gele ruft! Een grote gele vogel die op insecten jaagt. Als hij er eentje ziet, laat hij een wind en schíét dan vooruit. Voordat het insect er erg in heeft, is hij al opgegeten. Je ziet gele ruften bijna nooit, maar je hoort ze vrij vaak in het bos.'

'En je ruikt ze ook,' zegt mama bozig. 'Laat we maar snel doorlopen.'

Een eindje verder in het bos is een fietspad. Je kunt de fietsers tussen de bomen door voorbij zien komen. Af en toe komt er ook een brommer langs.

'Knetterherten,' zegt papa. 'Je weet toch dat de natuur altijd aan het veranderen is, Fleur? Spreeuwen bijvoorbeeld kunnen heel goed geluiden nadoen. Soms doen ze of ze een merel zijn, maar er bestaan ook spreeuwen die een mobiele telefoon nadoen, af een autoalarm. Nou, wat de spreeuw kan, kan een hert natuurlijk nog veel beter. Daarom zijn er nu herten, knetterherten, die een brommer kunnen nadoen. Want als de jager een hert hoort, gaat hij schieten. Maar als hij een brommer hoort, doet hij een stapje opzij. Slim hè?'

'En hoe moet zo'n hert dan een brommer nadoen?' vraagt mama. 'Met zijn gewei zeker!'

'Nee, natuurlijk niet,' zegt papa. 'Met zijn motortje natuurlijk!'

Mama lacht.

'En dat,' zegt papa terwijl hij zijn vinger opsteekt, 'is het klaterende mamabeestje, het liefste dier van het hele bos.'

'Geloof het allemaal maar niet hoor, Fleur,' zegt mama. 'Je vader weet het weer mooi te verzinnen.'

'Maar ik hoor ook iets,' zegt Fleur. Ze steekt ook een vinger in de lucht en houdt haar hoofd een beetje schuin.

'Wat dan?' vraagt papa gretig. 'Wat hoor jij dan, Fleur?'

'Ik denk,' zegt Fleur langzaam, 'ik denk dat het een superwesp is!'

Papa geeft een gil en kijkt haar met grote schrikogen aan. Dan draait hij zich om en begint te rennen, de hele lange weg terug naar het terras.

'Kijk,' zegt mama, 'de bolle bosloper.'

Elfjes

Kijk, daar gaat er weer eentje. Fleur ziet het duidelijk, langs het plafond. Daar schiet een heel klein, rond lichtvlekje heen en weer, niet groter dan een cent. Fleur heeft nog nooit zoiets gezien. Het is geen dier, dat bestaat niet. Dieren geven geen licht. Het kan eigenlijk alleen maar een elfje zijn.

'Papa,' fluistert Fleur. 'Papa, kijk eens...'

'Mmm?' zegt papa. Hij slaat een bladzij van zijn krant om. Meteen schiet er een elfje langs de muur.

'Daar!' zegt Fleur. 'Kijk dan, we hebben elfjes.'

'Leuk,' mompelt papa. Hij slaat weer een bladzij om en haalt zijn neus op. Het elfje vlucht ergens tussen de gordijnen.

'Je kijkt niet eens,' zegt Fleur boos.

Papa legt zijn krant weg en laat zijn armen zakken. Het elfje is nergens te bekennen.

'Wat is er dan, scheet?' vraagt papa.

'Er was een elfje,' zegt Fleur. 'Of misschien wel twee. Ze vlogen langs de muur en het plafond.'

'Is het werkelijk?' zegt papa. 'En waar zijn die elfjes dan nu?'

'Weg,' zegt Fleur. Voor de zekerheid loopt ze naar het gordijn en kijkt erachter. Maar er is niets te zien.

'Als je heel stil bent, komen ze misschien terug,' zegt papa. Hij pakt zijn krant van de vloer en slaat hem open. Meteen schiet het elfje weer langs de muur omhoog.

'Daar!' roept Fleur. 'Daar gaat-ie!'

Ze rent naar de muur en probeert het elfje te vangen. Maar steeds als ze er vlakbij is, springt het rare lichtvlekje bij haar vandaan. Het is om moedeloos van te worden. Fleur laat zich op de bank zakken.

'Geef je het nu al op?' lacht papa. 'Je bent een elfenvanger van niks.'

'Heb je hem nou gezien?' vraagt Fleur.

Papa knikt. 'Ja zeker. En ik zal het je nog sterker vertellen. Ik maak hem zelf.'

'Jij?' vraagt Fleur.

'Met mijn horloge,' zegt papa. 'Kijk maar.'

Papa tilt zijn linkerhand een stukje op en draait heel langzaam met zijn pols. Op het plafond verschijnt een traag lichtvlekje. Het schuift naar voren en naar achteren, precies gelijk met papa's pols.

'Kijk, de zon schijnt in het glas van mijn horloge,' zegt papa. 'Dat glas is net een spiegeltje. En dat spiegeltje maakt de vlek op het plafond. Probeer zelf maar.'

Hij doet zijn horloge af en geeft het aan Fleur.

Het is niet makkelijk om de zon in het glas te vangen, maar na een tijdje heeft Fleur haar eigen elfje op de muur. Het is een leuk spelletje om het elfje overal heen te laten glijden. Als Fleur het op de spiegel laat zitten, komt er aan de andere kant van de kamer nog een elfje bij.

'Zo gaat dat met spiegels,' zegt papa. 'Het houdt maar niet op.'

Fleur geeft het horloge terug en gaat weer op de bank zitten.

'Zijn er ook echte elfjes?' vraagt ze.

Papa haalt zijn schouders op. 'Ik heb er nog nooit eentje gezien,' zegt hij. 'En ook geen spoken, kabouters of reuzen. Maar als je iets niet gezien hebt, wil dat nog niet zeggen dat het niet bestaat. Misschien heb ik wel niet goed gekeken.'

'Maar wat dénk je?' vraagt Fleur.

'Ik denk het niet,' zegt papa. 'Ik denk niet dat er echt elfjes bestaan.'

'Dan kunnen ze er wel bij,' zegt Fleur.

'Waarbij?' vraagt papa.

'Bij de wijde wereld,' zegt Fleur. 'Alles wat niet bestaat, kan er nog wel bij. Ook draken en geesten en engeltjes. Die kunnen er allemaal makkelijk bij. En dan zijn ze er toch.'

'Ja, dat is zo,' zegt papa. 'De hele wijde wereld zit stikvol dingen die niet bestaan. Je hebt gelijk.'

'En het is gezellig voor de elfjes,' zegt Fleur.

'Zo is het,' zegt papa. 'En nu gaan we aardappels schillen. Want straks komt mama thuis en dan wil ze eten.'

Papa haalt de pan en ook een mesje voor Fleur. Hij schilt een hele berg aardappels. Soms is papa opeens heel handig en snel.

Fleur doet er eentje. Een kleintje. Voor de dingen die niet bestaan. Want die zullen ook wel trek hebben.

Er is ook een groot boek vol kleuterpoëzie van Hans Kuyper:

Ik kan alle woorden lijmen
door te rijmen, door te rijmen

Groot
Rood
Boot
Een grote rode boot.
Een torentje van woorden
gaat varen in de sloot.

Hans Kuyper (1962) schreef zijn eerste kleuterversjes voor het Teleac-radioprogramma Pyjamapret in 1995. In de jaren die volgden verschenen bij Uitgeverij Leopold drie bundels: Ik word wel koningin, Aardbeien op brood en Het poezenvarken. Daarnaast werden zijn versjes opgenomen in verschillende andere publicaties.

Uit al die bronnen heeft Hans Kuyper zijn favorieten bijeengezocht, en die aangevuld met nog niet eerder gepubliceerd werk.

Achter in dit boek is een cd gestoken met een integrale registratie van het kleutercabaretprogramma Lijmkont, waarmee hij sinds 1997 langs scholen, bibliotheken en theaters trekt. Van de bijna 1000 voorstellingen hebben al zo'n 50.000 kinderen volop genoten!